Mis Recetas De Cocteles

Estas recetas provienen de la imaginación de:

Resumen

PÁGINA	APELLIDO	NOTA
1	....	... /5
2	....	... /5
3	....	... /5
4	....	... /5
5	....	... /5
6	....	... /5
7	....	... /5
8	....	... /5
9	....	... /5
10	....	... /5
11	....	... /5
12	....	... /5
13	....	... /5
14	....	... /5
15	....	... /5
16	....	... /5
17	....	... /5
18	....	... /5
19	....	... /5
20	....	... /5
21	....	... /5
22	....	... /5
23	....	... /5
24	....	... /5
25	....	... /5

Resumen

PÁGINA	APELLIDO	NOTA
26	....	... /5
27	....	... /5
28	....	... /5
29	....	... /5
30	....	... /5
31	....	... /5
32	....	... /5
33	....	... /5
34	....	... /5
35	....	... /5
36	....	... /5
37	....	... /5
38	....	... /5
39	....	... /5
40	....	... /5
41	....	... /5
42	....	... /5
43	....	... /5
44	....	... /5
45	....	... /5
46	....	... /5
47	....	... /5
48	....	... /5
49	....	... /5
50	....	... /5

Resumen

PÁGINA	APELLIDO	NOTA
51	....	... /5
52	....	... /5
53	....	... /5
54	....	... /5
55	....	... /5
56	....	... /5
57	....	... /5
58	....	... /5
59	....	... /5
60	....	... /5
61	....	... /5
62	....	... /5
63	....	... /5
64	....	... /5
65	....	... /5
66	....	... /5
67	....	... /5
68	....	... /5
69	....	... /5
70	....	... /5
71	....	... /5
72	....	... /5
73	....	... /5
74	....	... /5
75	....	... /5

Resumen

PÁGINA	APELLIDO	NOTA
76	....	... /5
77	....	... /5
78	....	... /5
79	....	... /5
80	....	... /5
81	....	... /5
82	....	... /5
83	....	... /5
84	....	... /5
85	....	... /5
86	....	... /5
87	....	... /5
88	....	... /5
89	....	... /5
90	....	... /5
91	....	... /5
92	....	... /5
93	....	... /5
94	....	... /5
95	....	... /5
96	....	... /5
97	....	... /5
98	....	... /5
99	....	... /5
100	....	... /5

Nombre del cóctel: _____

Dificultad ☆☆☆☆☆　　**Nota** ☆☆☆☆☆

🍸 ○　🍷 ○　🥂 ○　🍸 ○　🥤 ○

🕐 Tiempo de preparación _____

🍓 Ingredientes 🍓

. . . .
. . . .
. . . .
. . . .
. . . .
. . . .
. . . .
. . . .
. . . .

🍸 Preparación 🍸

. . . .
. . . .
. . . .
. . . .
. . . .
. . . .
. . . .
. . . .
. . . .

🍹 Consejos del chef 🍹

. . . .
. . . .
. . . .
. . . .

Nombre del cóctel: _____

Dificultad ☆☆☆☆☆ **Nota** ☆☆☆☆☆

🍸 ○ 🍷 ○ 🥂 ○ 🍸 ○ 🥤 ○

🕐 Tiempo de preparación _____

🍓 Ingredientes 🍓

· ·

· ·

· ·

· ·

· ·

· ·

· ·

· ·

Preparación

· ·

· ·

· ·

· ·

· ·

· ·

· ·

· ·

· ·

· ·

Consejos del chef

· ·

· ·

· ·

· ·

Nombre del cóctel: _____

Dificultad ☆☆☆☆☆   Nota ☆☆☆☆☆

🍷○ 🍷○ 🥂○ 🍸○ 🥤○   🕐 Tiempo de preparación _____

🍓 Ingredientes 🍓

....
....
....
....
....
....
....
....
....
....

🍸 Preparación 🍸

....
....
....
....
....
....
....
....
....
....
....

🍹 Consejos del chef 🍹

....
....
....
....

Nombre del cóctel: _____

Dificultad ☆☆☆☆☆   **Nota** ☆☆☆☆☆

🍸 ○ 🍷 ○ 🥂 ○ 🍸 ○ 🥤 ○   🕐 Tiempo de preparación _____

🍓 Ingredientes 🍓

. . . .

. . . .

. . . .

. . . .

. . . .

. . . .

. . . .

. . . .

. . . .

🔪 Preparación 🔪

. . . .

. . . .

. . . .

. . . .

. . . .

. . . .

. . . .

. . . .

. . . .

🍹 Consejos del chef 🍹

. . . .

. . . .

. . . .

. . . .

Nombre del cóctel: _____

Dificultad ☆☆☆☆☆   Nota ☆☆☆☆☆

🍸 ○ 🍷 ○ 🥂 ○ 🍸 ○ 🥤 ○   🕐 Tiempo de preparación _____

🍓 Ingredientes 🍓

. . . .
. . . .
. . . .
. . . .
. . . .
. . . .
. . . .
. . . .
. . . .

🍸 Preparación 🍸

. . . .
. . . .
. . . .
. . . .
. . . .
. . . .
. . . .
. . . .
. . . .

🍹 Consejos del chef 🍹

. . . .
. . . .
. . . .
. . . .

Nombre del cóctel: _____

Dificultad ☆☆☆☆☆   Nota ☆☆☆☆☆

🍷 ○ 🍷 ○ 🥂 ○ 🍸 ○ 🧃 ○   🕐 Tiempo de preparación _____

🍓 Ingredientes 🍓

· ·

· ·

· ·

· ·

· ·

· ·

· ·

· ·

· ·

🥄 Preparación 🥄

· ·

· ·

· ·

· ·

· ·

· ·

· ·

· ·

· ·

🍹 Consejos del chef 🍹

· ·

· ·

· ·

· ·

Nombre del cóctel: _____

Dificultad ☆☆☆☆☆   Nota ☆☆☆☆☆

🍸 ○ 🍷 ○ 🥂 ○ 🍸 ○ 🥤 ○   🕐 Tiempo de
                                            preparación _____

🍓 Ingredientes 🍓

· · · · · · · · · · · · · · · · · · · ·

· · · · · · · · · · · · · · · · · · · ·

· · · · · · · · · · · · · · · · · · · ·

· · · · · · · · · · · · · · · · · · · ·

· · · · · · · · · · · · · · · · · · · ·

· · · · · · · · · · · · · · · · · · · ·

· · · · · · · · · · · · · · · · · · · ·

· · · · · · · · · · · · · · · · · · · ·

· · · · · · · · · · · · · · · · · · · ·

🍹 Preparación 🍹

· ·

· ·

· ·

· ·

· ·

· ·

· ·

· ·

· ·

🍸 Consejos del chef 🍸

· ·

· ·

· ·

· ·

Nombre del cóctel: _____

Dificultad ☆☆☆☆☆   **Nota** ☆☆☆☆☆

🍷 ○ 🍷 ○ 🥂 ○ 🍸 ○ 🥤 ○   🕐 Tiempo de preparación _____

🍓 Ingredientes 🍓

·······································
·······································
·······································
·······································
·······································
·······································
·······································
·······································
·······································

🍸 Preparación 🍸

·······································
·······································
·······································
·······································
·······································
·······································
·······································
·······································
·······································

🍹 Consejos del chef 🍹

·······································
·······································
·······································
·······································

Nombre del cóctel: _____

Dificultad ☆☆☆☆☆   Nota ☆☆☆☆☆

🍸 ○ 🍷 ○ 🥂 ○ 🍸 ○ 🥤 ○   🕐 Tiempo de preparación _____

🍓 Ingredientes 🍓

....
....
....
....
....
....
....
....
....

🍸 Preparación 🍸

....
....
....
....
....
....
....
....
....

🍹 Consejos del chef 🍹

....
....
....
....

Nombre del cóctel: _____

Dificultad ☆☆☆☆☆   Nota ☆☆☆☆☆

🍸○ 🍷○ 🥂○ 🍸○ 📱○   🕐 Tiempo de preparación _____

🍓 Ingredientes 🍓

. . . .
. . . .
. . . .
. . . .
. . . .
. . . .
. . . .
. . . .
. . . .

💉 Preparación 💉

. . . .
. . . .
. . . .
. . . .
. . . .
. . . .
. . . .
. . . .
. . . .

🍹 Consejos del chef 🍹

. . . .
. . . .
. . . .
. . . .

Nombre del cóctel: _____

Dificultad ☆☆☆☆☆　　　Nota ☆☆☆☆☆

🍸 ○　🍷 ○　🥂 ○　🍸 ○　🥤 ○　🕐 Tiempo de preparación _____

🍓 Ingredientes 🍓

....
....
....
....
....
....
....
....
....
....

🥤 Preparación 🥤

....
....
....
....
....
....
....
....
....
....

🍹 Consejos del chef 🍹

....
....
....
....

Nombre del cóctel: _____

Dificultad ☆☆☆☆☆   **Nota** ☆☆☆☆☆

🍸○ 🍷○ 🥂○ 🍸○ 🍹○   🕐 Tiempo de preparación _____

🍓 Ingredientes 🍓

· ·

· ·

· ·

· ·

· ·

· ·

· ·

· ·

· ·

🥢 Preparación 🥢

· ·

· ·

· ·

· ·

· ·

· ·

· ·

· ·

· ·

🍹 Consejos del chef 🍹

· ·

· ·

· ·

· ·

Nombre del cóctel: _____

Dificultad ☆☆☆☆☆ Nota ☆☆☆☆☆

🍸 ○ 🍷 ○ 🥂 ○ 🍸 ○ 🥤 ○

🕐 Tiempo de preparación _____

🍓 Ingredientes 🍓

....
....
....
....
....
....
....
....
....
....

🍸 Preparación 🍸

....
....
....
....
....
....
....
....
....
....

🍹 Consejos del chef 🍹

....
....
....
....

Nombre del cóctel:

Dificultad ☆☆☆☆☆   **Nota** ☆☆☆☆☆

🕐 Tiempo de preparación _____

🍓 Ingredientes 🍓

....
....
....
....
....
....
....
....
....

🍸 Preparación 🍸

....
....
....
....
....
....
....
....
....
....

🍹 Consejos del chef 🍹

....
....
....
....

Nombre del cóctel: _____

Dificultad ☆☆☆☆☆   Nota ☆☆☆☆☆

🍸 ○ 🍷 ○ 🥂 ○ 🍸 ○ 🥤 ○   🕐 Tiempo de preparación _____

🍓 Ingredientes 🍓

....

....

....

....

....

....

....

....

....

....

🍸 Preparación 🍸

....

....

....

....

....

....

....

....

....

....

🍹 Consejos del chef 🍹

....

....

....

....

Nombre del cóctel:

Dificultad ☆☆☆☆☆   **Nota** ☆☆☆☆☆

🍸 ○   🍷 ○   🥂 ○   🍸 ○   🥤 ○

🕐 Tiempo de preparación _____

🍓 Ingredientes 🍓

....
....
....
....
....
....
....
....
....
....

🔪 Preparación 🔪

....
....
....
....
....
....
....
....
....
....
....

🍹 Consejos del chef 🍹

....
....
....
....

Nombre del cóctel: _____

Dificultad ☆☆☆☆☆ Nota ☆☆☆☆☆

🍸 ○ 🍷 ○ 🥂 ○ 🍸 ○ 🥤 ○   🕐 Tiempo de preparación _____

🍓 Ingredientes 🍓

....
....
....
....
....
....
....
....
....

🍴 Preparación 🍴

....
....
....
....
....
....
....
....
....

🍹 Consejos del chef 🍹

....
....
....
....

Nombre del cóctel: _____

Dificultad ☆☆☆☆☆   **Nota** ☆☆☆☆☆

🍷 ○ 🍷 ○ 🥂 ○ 🍸 ○ 🧃 ○   🕐 Tiempo de preparación _____

🍓 Ingredientes 🍓

....
....
....
....
....
....
....
....
....

🥄 Preparación 🥄

....
....
....
....
....
....
....
....
....

🍹 Consejos del chef 🍹

....
....
....
....

Nombre del cóctel: _____

Dificultad ☆☆☆☆☆   Nota ☆☆☆☆☆

🍸 ○ 🍷 ○ 🥂 ○ 🍸 ○ 🥤 ○   🕐 Tiempo de preparación _____

🍓 Ingredientes 🍓

....
....
....
....
....
....
....
....
....

🍶 Preparación 🍶

....
....
....
....
....
....
....
....
....

🍹 Consejos del chef 🍹

....
....
....
....

Nombre del cóctel: _____

Dificultad ☆☆☆☆☆　　　**Nota** ☆☆☆☆☆

🍷 🍷 🥂 🍸 🥤

🕐 Tiempo de preparación _____

🍓 Ingredientes 🍓

· ·

· ·

· ·

· ·

· ·

· ·

· ·

· ·

· ·

🥄 Preparación 🥄

· ·

· ·

· ·

· ·

· ·

· ·

· ·

· ·

· ·

🍹 Consejos del chef 🍹

· ·

· ·

· ·

· ·

Nombre del cóctel: _____

Dificultad ☆☆☆☆☆   Nota ☆☆☆☆☆

🍸 ○ 🍷 ○ 🥂 ○ 🍸 ○ 🥤 ○   🕐 Tiempo de preparación _____

🍓 Ingredientes 🍓

....
....
....
....
....
....
....
....
....
....

🍴 Preparación 🍴

....
....
....
....
....
....
....
....
....
....
....

🍹 Consejos del chef 🍹

....
....
....
....

Nombre del cóctel: _____

Dificultad ☆☆☆☆☆　　Nota ☆☆☆☆☆

🍸 🍷 🥂 🍸 🧴　　🕐 Tiempo de preparación _____

🍓 Ingredientes 🍓

....
....
....
....
....
....
....
....
....

🍾 Preparación 🍾

....
....
....
....
....
....
....
....
....
....

🍹 Consejos del chef 🍹

....
....
....
....

Nombre del cóctel: _____

Dificultad ☆☆☆☆☆   Nota ☆☆☆☆☆

🍷 ○ 🍷 ○ 🥂 ○ 🍸 ○ 🥤 ○   🕐 Tiempo de preparación _____

🍓 Ingredientes 🍓

....
....
....
....
....
....
....
....
....

🍸 Preparación 🍸

....
....
....
....
....
....
....
....
....
....

🍹 Consejos del chef 🍹

....
....
....
....

Nombre del cóctel: _____

Dificultad ☆☆☆☆☆   **Nota** ☆☆☆☆☆

🍸 ○ 🍷 ○ 🥂 ○ 🍸 ○ 🧃 ○   🕐 Tiempo de preparación _____

🍓 Ingredientes 🍓

· ·

· ·

· ·

· ·

· ·

· ·

· ·

· ·

· ·

🥄 Preparación 🥄

· ·

· ·

· ·

· ·

· ·

· ·

· ·

· ·

· ·

🍹 Consejos del chef 🍹

· ·

· ·

· ·

· ·

Nombre del cóctel: _____

Dificultad ☆☆☆☆☆　　　**Nota** ☆☆☆☆☆

🍸 🍷 🥂 🍸 🥤

🕐 Tiempo de preparación _____

🍓 Ingredientes 🍓

....
....
....
....
....
....
....
....
....

🍾 Preparación 🍾

....
....
....
....
....
....
....
....
....
....

🍹 Consejos del chef 🍹

....
....
....
....

Nombre del cóctel: _____

Dificultad ☆☆☆☆☆　　　Nota ☆☆☆☆☆

🍸 ○ 🍷 ○ 🥂 ○ 🍸 ○ 🥤 ○　　🕐 Tiempo de preparación _____

🍓 Ingredientes 🍓

· ·

· ·

· ·

· ·

· ·

· ·

· ·

· ·

· ·

🔪 Preparación 🔪

· ·

· ·

· ·

· ·

· ·

· ·

· ·

· ·

· ·

🍹 Consejos del chef 🍹

· ·

· ·

· ·

· ·

Nombre del cóctel: _____

Dificultad ☆☆☆☆☆   Nota ☆☆☆☆☆

🍸 ○ 🍷 ○ 🥂 ○ 🍸 ○ 🥤 ○   🕐 Tiempo de preparación _____

🍓 Ingredientes 🍓

....
....
....
....
....
....
....
....
....
....

🍸 Preparación 🍸

....
....
....
....
....
....
....
....
....
....
....
....

🍹 Consejos del chef 🍹

....
....
....
....

Nombre del cóctel: _____

Dificultad ☆☆☆☆☆   **Nota** ☆☆☆☆☆

🍸 ○   🍷 ○   🥂 ○   🍸 ○   🥤 ○

🕐 Tiempo de preparación _____

🍓 Ingredientes 🍓

. . . .

. . . .

. . . .

. . . .

. . . .

. . . .

. . . .

. . . .

. . . .

🥢 Preparación 🥢

. . . .

. . . .

. . . .

. . . .

. . . .

. . . .

. . . .

. . . .

. . . .

🍹 Consejos del chef 🍹

. . . .

. . . .

. . . .

. . . .

Nombre del cóctel: _____

Dificultad ☆☆☆☆☆   Nota ☆☆☆☆☆

🍷 ○ 🍷 ○ 🥂 ○ 🍸 ○ 🥤 ○

🕐 Tiempo de preparación _____

🍓 Ingredientes 🍓

....
....
....
....
....
....
....
....
....

🍹 Preparación 🍹

....
....
....
....
....
....
....
....

🍹 Consejos del chef 🍹

....
....
....
....

Nombre del cóctel: _____

Dificultad ☆☆☆☆☆   Nota ☆☆☆☆☆

🍸○ 🍷○ 🥂○ 🍸○ 🥤○   🕐 Tiempo de preparación _____

🍓 Ingredientes 🍓

. . . .
. . . .
. . . .
. . . .
. . . .
. . . .
. . . .
. . . .
. . . .

🧂 Preparación 🧂

. . . .
. . . .
. . . .
. . . .
. . . .
. . . .
. . . .
. . . .
. . . .

🍹 Consejos del chef 🍹

. . . .
. . . .
. . . .
. . . .

Nombre del cóctel: _____

Dificultad ☆☆☆☆☆   Nota ☆☆☆☆☆

🍷 ◯ 🍷 ◯ 🥂 ◯ 🍸 ◯ 🥤 ◯   🕐 Tiempo de preparación _____

🍓 Ingredientes 🍓

....
....
....
....
....
....
....
....
....

Preparación

....
....
....
....
....
....
....
....
....

Consejos del chef

....
....
....
....

Nombre del cóctel: _____

Dificultad ☆☆☆☆☆   **Nota** ☆☆☆☆☆

🍷 ○ 🍷 ○ 🥂 ○ 🍸 ○ 🥤 ○   🕐 Tiempo de preparación _____

🍓 Ingredientes 🍓

. . . .
. . . .
. . . .
. . . .
. . . .
. . . .
. . . .
. . . .
. . . .

🥄 Preparación 🥄

. . . .
. . . .
. . . .
. . . .
. . . .
. . . .
. . . .
. . . .
. . . .
. . . .

🍹 Consejos del chef 🍹

. . . .
. . . .
. . . .
. . . .

Nombre del cóctel: _____

Dificultad ☆☆☆☆☆　　**Nota** ☆☆☆☆☆

🍸.○　🍷.○　🥂.○　🍸.○　🥤.○　🕐 Tiempo de preparación _____

🍓 Ingredientes 🍓

....
....
....
....
....
....
....
....
....

🍸 Preparación 🍸

....
....
....
....
....
....
....
....
....
....
....

🍹 Consejos del chef 🍹

....
....
....
....

Nombre del cóctel: _____

Dificultad ☆☆☆☆☆   **Nota** ☆☆☆☆☆

🍷 ○ 🍷 ○ 🥂 ○ 🍸 ○ 🥤 ○

🕐 Tiempo de preparación _____

🍓 Ingredientes 🍓

· ·

· ·

· ·

· ·

· ·

· ·

· ·

· ·

· ·

🍾 Preparación 🍾

· ·

· ·

· ·

· ·

· ·

· ·

· ·

· ·

· ·

· ·

🍹 Consejos del chef 🍹

· ·

· ·

· ·

· ·

Nombre del cóctel: _____

Dificultad ☆☆☆☆☆   Nota ☆☆☆☆☆

🍷 ○ 🍷 ○ 🥂 ○ 🍸 ○ 🥤 ○   🕐 Tiempo de preparación _____

🍓 Ingredientes 🍓

....
....
....
....
....
....
....
....
....

🍸 Preparación 🍸

....
....
....
....
....
....
....
....
....

🍹 Consejos del chef 🍹

....
....
....
....

Nombre del cóctel: _____

Dificultad ☆☆☆☆☆   Nota ☆☆☆☆☆

🍸 ○ 🍷 ○ 🥂 ○ 🍸 ○ 🥤 ○   🕐 Tiempo de preparación _____

🍓 Ingredientes 🍓

. . . .

. . . .

. . . .

. . . .

. . . .

. . . .

. . . .

. . . .

🗡 Preparación 🗡

. . . .

. . . .

. . . .

. . . .

. . . .

. . . .

. . . .

. . . .

. . . .

🍹 Consejos del chef 🍹

. . . .

. . . .

. . . .

. . . .

Nombre del cóctel: _____

Dificultad ☆☆☆☆☆　　Nota ☆☆☆☆☆

🍸○ 🍷○ 🥂○ 🍸○ 🥤○　　🕐 Tiempo de preparación _____

🍓 Ingredientes 🍓

....
....
....
....
....
....
....
....
....
....

🍸 Preparación 🍸

....
....
....
....
....
....
....
....
....
....
....

🍹 Consejos del chef 🍹

....
....
....
....

Nombre del cóctel: _____

Dificultad ☆☆☆☆☆   **Nota** ☆☆☆☆☆

🍷○ 🍷○ 🥂○ 🍸○ 🧃○

🕐 Tiempo de preparación _____

🍓 Ingredientes 🍓

....
....
....
....
....
....
....
....
....

🍴 Preparación 🍴

....
....
....
....
....
....
....
....
....
....
....

🍹 Consejos del chef 🍹

....
....
....
....

Nombre del cóctel: _____

Dificultad ☆☆☆☆☆   Nota ☆☆☆☆☆

🍸 🍷 🥂 🍸 🧃   🕐 Tiempo de preparación _____

🍓 Ingredientes 🍓

....
....
....
....
....
....
....
....
....

🥄 Preparación 🥄

....
....
....
....
....
....
....
....
....

🍹 Consejos del chef 🍹

....
....
....
....

Nombre del cóctel: _____

Dificultad ☆☆☆☆☆　　Nota ☆☆☆☆☆

🍷🍷🥂🍸🥤　　🕐 Tiempo de preparación _____

🍓 Ingredientes 🍓

· ·

· ·

· ·

· ·

· ·

· ·

· ·

· ·

· ·

⚗️ Preparación ⚗️

· ·

· ·

· ·

· ·

· ·

· ·

· ·

· ·

· ·

🍹 Consejos del chef 🍹

· ·

· ·

· ·

· ·

Nombre del cóctel: _____

Dificultad ☆☆☆☆☆   Nota ☆☆☆☆☆

🍸 ⚬ 🍷 ⚬ 🥂 ⚬ 🍸 ⚬ 🍹 ⚬   🕐 Tiempo de preparación _____

🍓 Ingredientes 🍓

....
....
....
....
....
....
....
....

🍾 Preparación 🍾

....
....
....
....
....
....
....
....
....

🍹 Consejos del chef 🍹

....
....
....
....

Nombre del cóctel: _____

Dificultad ☆☆☆☆☆   **Nota** ☆☆☆☆☆

🍸 ○ 🍷 ○ 🥂 ○ 🍸 ○ 🥤 ○

🕐 Tiempo de preparación _____

🍓 Ingredientes 🍓

....
....
....
....
....
....
....
....
....

� Preparación �

....
....
....
....
....
....
....
....
....
....

🍹 Consejos del chef 🍹

....
....
....
....

Nombre del cóctel: _____

Dificultad ☆☆☆☆☆   Nota ☆☆☆☆☆

🍸○ 🍷○ 🥂○ 🍸○ 🥤○   🕐 Tiempo de preparación _____

🍓 Ingredientes 🍓

....
....
....
....
....
....
....
....
....

🥄 Preparación 🥄

....
....
....
....
....
....
....
....
....
....
....

🍹 Consejos del chef 🍹

....
....
....
....

Nombre del cóctel: _____

Dificultad ☆☆☆☆☆　　**Nota** ☆☆☆☆☆

🍷 ○　🍷 ○　🥂 ○　🍸 ○　🧃 ○　　🕐 Tiempo de preparación _____

🍓 Ingredientes 🍓

·····························
·····························
·····························
·····························
·····························
·····························
·····························
·····························
·····························

🧂 Preparación 🧂

·····························
·····························
·····························
·····························
·····························
·····························
·····························
·····························
·····························
·····························

🍹 Consejos del chef 🍹

···
···
···
···

Nombre del cóctel: _____

Dificultad ☆☆☆☆☆   Nota ☆☆☆☆☆

🍸 ○ 🍷 ○ 🥂 ○ 🍸 ○ 🥤 ○   🕐 Tiempo de preparación _____

🍓 Ingredientes 🍓

. . . .
. . . .
. . . .
. . . .
. . . .
. . . .
. . . .
. . . .
. . . .

🍶 Preparación 🍶

. . . .
. . . .
. . . .
. . . .
. . . .
. . . .
. . . .
. . . .
. . . .

🍹 Consejos del chef 🍹

. . . .
. . . .
. . . .
. . . .

Nombre del cóctel: _____

Dificultad ☆☆☆☆☆   Nota ☆☆☆☆☆

🍸 ○ 🍷 ○ 🥂 ○ 🍸 ○ 🥤 ○

🕐 Tiempo de preparación _____

🍓 Ingredientes 🍓

. . . .

. . . .

. . . .

. . . .

. . . .

. . . .

. . . .

. . . .

. . . .

✏️ Preparación ✏️

. . . .

. . . .

. . . .

. . . .

. . . .

. . . .

. . . .

. . . .

. . . .

🍹 Consejos del chef 🍹

. . . .

. . . .

. . . .

. . . .

Nombre del cóctel: _____

Dificultad ☆☆☆☆☆   **Nota** ☆☆☆☆☆

🍸 ⚪ 🍷 ⚪ 🥂 ⚪ 🍸 ⚪ 🥤 ⚪

🕐 Tiempo de preparación _____

🍓 Ingredientes 🍓

....
....
....
....
....
....
....
....
....
....

🍶 Preparación 🍶

....
....
....
....
....
....
....
....
....
....

🍹 Consejos del chef 🍹

....
....
....
....

Nombre del cóctel: _____

Dificultad ☆☆☆☆☆　　**Nota** ☆☆☆☆☆

🍷 ○　🍷 ○　🥂 ○　🍸 ○　🥤 ○　　🕐 Tiempo de preparación _____

🍓 Ingredientes 🍓

....
....
....
....
....
....
....
....
....

🍸 Preparación 🍸

....
....
....
....
....
....
....
....
....
....
....

🍹 Consejos del chef 🍹

....
....
....
....

Nombre del cóctel: _____

Dificultad ☆☆☆☆☆   Nota ☆☆☆☆☆

🍸 ○ 🍷 ○ 🥂 ○ 🍸 ○ 🥤 ○

🕐 Tiempo de preparación _____

🍓 Ingredientes 🍓

....
....
....
....
....
....
....
....

🍾 Preparación 🍾

....
....
....
....
....
....
....
....
....

🍹 Consejos del chef 🍹

....
....
....
....

Nombre del cóctel:

Dificultad ☆☆☆☆☆   **Nota** ☆☆☆☆☆

🍸 ○ 🍷 ○ 🥂 ○ 🍸 ○ 🍹 ○

🕐 Tiempo de preparación _____

🍓 Ingredientes 🍓

....
....
....
....
....
....
....
....
....

🥢 Preparación 🥢

....
....
....
....
....
....
....
....
....

🍹 Consejos del chef 🍹

....
....
....
....

Nombre del cóctel: _____

Dificultad ☆☆☆☆☆   Nota ☆☆☆☆☆

🍸 ○ 🍷 ○ 🥂 ○ 🍸 ○ 🥤 ○   🕐 Tiempo de preparación _____

🍓 Ingredientes 🍓

· ·

· ·

· ·

· ·

· ·

· ·

· ·

· ·

· ·

Preparación

· ·

· ·

· ·

· ·

· ·

· ·

· ·

· ·

· ·

🍹 Consejos del chef 🍹

· ·

· ·

· ·

· ·

Nombre del cóctel: _____

Dificultad ☆☆☆☆☆   **Nota** ☆☆☆☆☆

🍸 ○ 🍷 ○ 🥂 ○ 🍸 ○ 🍶 ○

🕐 Tiempo de preparación _____

🍓 Ingredientes 🍓

. . . .
. . . .
. . . .
. . . .
. . . .
. . . .
. . . .
. . . .
. . . .

🍸 Preparación 🍸

. . . .
. . . .
. . . .
. . . .
. . . .
. . . .
. . . .
. . . .
. . . .
. . . .

🍹 Consejos del chef 🍹

. . . .
. . . .
. . . .
. . . .

Nombre del cóctel: _____

Dificultad ☆☆☆☆☆　　　Nota ☆☆☆☆☆

🍸 ○　🍷 ○　🥂 ○　🍸 ○　🍹 ○

🕐 Tiempo de preparación _____

🍓 Ingredientes 🍓

....
....
....
....
....
....
....
....
....

🍴 Preparación 🍴

....
....
....
....
....
....
....
....
....

🍹 Consejos del chef 🍹

....
....
....
....

Nombre del cóctel: _____

Dificultad ☆☆☆☆☆   **Nota** ☆☆☆☆☆

🍸 ○   🍷 ○   🥂 ○   🍸 ○   🥤 ○

🕐 Tiempo de preparación _____

🍓 Ingredientes 🍓

. . . .
. . . .
. . . .
. . . .
. . . .
. . . .
. . . .
. . . .
. . . .

🍶 Preparación 🍶

. . . .
. . . .
. . . .
. . . .
. . . .
. . . .
. . . .
. . . .
. . . .
. . . .

🍹 Consejos del chef 🍹

. . . .
. . . .
. . . .
. . . .

Nombre del cóctel: _____

Dificultad ☆☆☆☆☆   Nota ☆☆☆☆☆

🍸 ○ 🍷 ○ 🥂 ○ 🍸 ○ 🥤 ○   🕐 Tiempo de preparación _____

🍓 Ingredientes 🍓

· ·

· ·

· ·

· ·

· ·

· ·

· ·

· ·

· ·

🥄 Preparación 🥄

· ·

· ·

· ·

· ·

· ·

· ·

· ·

· ·

· ·

🍹 Consejos del chef 🍹

· ·

· ·

· ·

· ·

Nombre del cóctel: _____

Dificultad ☆☆☆☆☆　　Nota ☆☆☆☆☆

🍸 ○　🍷 ○　🥂 ○　🍸 ○　🥤 ○　🕐 Tiempo de preparación _____

🍓 Ingredientes 🍓

....
....
....
....
....
....
....
....
....
....

Preparación

....
....
....
....
....
....
....
....
....
....
....
....

🍹 Consejos del chef 🍹

....
....
....
....

Nombre del cóctel: _____

Dificultad ☆☆☆☆☆   **Nota** ☆☆☆☆☆

🍷 ○   🍷 ○   🥂 ○   🍸 ○   🥃 ○

🕐 Tiempo de preparación _____

🍓 Ingredientes 🍓

....
....
....
....
....
....
....
....
....

🍸 Preparación 🍸

....
....
....
....
....
....
....
....
....

🍹 Consejos del chef 🍹

....
....
....
....

Nombre del cóctel: _____

Dificultad ☆☆☆☆☆   Nota ☆☆☆☆☆

🍸○ 🍷○ 🥂○ 🍸○ 🥤○   🕐 Tiempo de preparación _____

🍓 Ingredientes 🍓

· ·

· ·

· ·

· ·

· ·

· ·

· ·

· ·

· ·

🥄 Preparación 🥄

· ·

· ·

· ·

· ·

· ·

· ·

· ·

· ·

· ·

🍹 Consejos del chef 🍹

· ·

· ·

· ·

· ·

Nombre del cóctel: _____

Dificultad ☆☆☆☆☆　　　**Nota** ☆☆☆☆☆

🍷 ○　🍷 ○　🥂 ○　🍸 ○　🥤 ○

🕐 Tiempo de preparación _____

🍓 Ingredientes 🍓

· ·

· ·

· ·

· ·

· ·

· ·

· ·

· ·

🍸 Preparación 🍸

· ·

· ·

· ·

· ·

· ·

· ·

· ·

· ·

· ·

· ·

🍹 Consejos del chef 🍹

· ·

· ·

· ·

· ·

Nombre del cóctel: _____

Dificultad ☆☆☆☆☆   **Nota** ☆☆☆☆☆

🍸 🍷 🥂 🍸 🥤

🕐 Tiempo de preparación _____

🍓 Ingredientes 🍓

· ·

· ·

· ·

· ·

· ·

· ·

· ·

· ·

· ·

🥄 Preparación 🥄

· ·

· ·

· ·

· ·

· ·

· ·

· ·

· ·

· ·

🍹 Consejos del chef 🍹

· ·

· ·

· ·

· ·

Nombre del cóctel: _____

Dificultad ☆☆☆☆☆   Nota ☆☆☆☆☆

🍷 ○ 🍷 ○ 🥂 ○ 🍸 ○ 🥤 ○

🕐 Tiempo de preparación _____

🍓 Ingredientes 🍓

....
....
....
....
....
....
....
....
....

🍴 Preparación 🍴

....
....
....
....
....
....
....
....
....
....

🍹 Consejos del chef 🍹

....
....
....
....

Nombre del cóctel:

Dificultad ☆☆☆☆☆　　**Nota** ☆☆☆☆☆

○ ○ ○ ○ ○

Tiempo de preparación

🍓 Ingredientes 🍓

....
....
....
....
....
....
....
....
....
....

🍶 Preparación 🍶

....
....
....
....
....
....
....
....
....
....

🍹 Consejos del chef 🍹

....
....
....
....

Nombre del cóctel:

Dificultad ☆☆☆☆☆   **Nota** ☆☆☆☆☆

○ ○ ○ ○ ○

🕐 Tiempo de preparación _____

🍓 Ingredientes 🍓

....
....
....
....
....
....
....
....
....

🥤 Preparación 🥤

....
....
....
....
....
....
....
....
....

🍹 Consejos del chef 🍹

....
....
....
....

Nombre del cóctel: _____

Dificultad ☆☆☆☆☆　　Nota ☆☆☆☆☆

🍸○ 🍷○ 🥂○ 🍸○ 🍾○

🕐 Tiempo de preparación _____

🍓 Ingredientes 🍓

....
....
....
....
....
....
....
....
....

🧴 Preparación 🧴

....
....
....
....
....
....
....
....
....

🍹 Consejos del chef 🍹

....
....
....
....

Nombre del cóctel: _____

Dificultad ☆☆☆☆☆   Nota ☆☆☆☆☆

🍸🍷🥂🍸🍹   🕐 Tiempo de preparación _____

🍓 Ingredientes 🍓

....
....
....
....
....
....
....
....
....

Preparación

....
....
....
....
....
....
....
....
....
....

Consejos del chef

....
....
....
....

Nombre del cóctel: _____

Dificultad ☆☆☆☆☆   Nota ☆☆☆☆☆

🍸 ○ 🍷 ○ 🥂 ○ 🍸 ○ 🥤 ○   🕐 Tiempo de preparación _____

🍓 Ingredientes 🍓

....
....
....
....
....
....
....
....
....

🍸 Preparación 🍸

....
....
....
....
....
....
....
....
....
....
....
....

🍹 Consejos del chef 🍹

....
....
....
....

Nombre del cóctel: _____

Dificultad ☆☆☆☆☆   Nota ☆☆☆☆☆

🍸 ○ 🍷 ○ 🥂 ○ 🍸 ○ 🥤 ○   🕐 Tiempo de preparación _____

🍓 Ingredientes 🍓

· ·
· ·
· ·
· ·
· ·
· ·
· ·
· ·
· ·

🍴 Preparación 🍴

· ·
· ·
· ·
· ·
· ·
· ·
· ·
· ·
· ·
· ·

🍸 Consejos del chef 🍸

· ·
· ·
· ·
· ·

Nombre del cóctel: _____

Dificultad ☆☆☆☆☆   Nota ☆☆☆☆☆

🍸◯ 🍷◯ 🥂◯ 🍸◯ 🥤◯   🕐 Tiempo de preparación _____

🍓 Ingredientes 🍓

. . . .
. . . .
. . . .
. . . .
. . . .
. . . .
. . . .
. . . .
. . . .

🥢 Preparación 🥢

. . . .
. . . .
. . . .
. . . .
. . . .
. . . .
. . . .
. . . .

🍹 Consejos del chef 🍹

. . . .
. . . .
. . . .
. . . .

Nombre del cóctel: _____

Dificultad ☆☆☆☆☆   **Nota** ☆☆☆☆☆

🍸 ○ 🍷 ○ 🥂 ○ 🍸 ○ 🍹 ○   🕐 Tiempo de preparación _____

🍓 Ingredientes 🍓

· ·
· ·
· ·
· ·
· ·
· ·
· ·
· ·
· ·

🔪 Preparación 🔪

· ·
· ·
· ·
· ·
· ·
· ·
· ·
· ·
· ·
· ·

🍹 Consejos del chef 🍹

· ·
· ·
· ·
· ·

Nombre del cóctel: _____

Dificultad ☆☆☆☆☆　　Nota ☆☆☆☆☆

🍸○ 🍷○ 🥂○ 🍸○ 🍹○　　🕐 Tiempo de preparación _____

🍓 Ingredientes 🍓

....
....
....
....
....
....
....
....
....

🍾 Preparación 🍾

....
....
....
....
....
....
....
....
....
....
....

🍹 Consejos del chef 🍹

....
....
....
....

Nombre del cóctel:

Dificultad ☆☆☆☆☆　　　**Nota** ☆☆☆☆☆

🍸○ 🍷○ 🥂○ 🍸○ 🥤○

🕐 Tiempo de preparación _____

🍓 Ingredientes 🍓

....
....
....
....
....
....
....
....
....
....

🥄 Preparación 🥄

....
....
....
....
....
....
....
....
....
....

🍹 Consejos del chef 🍹

....
....
....
....

Nombre del cóctel: _____

Dificultad ☆☆☆☆☆   Nota ☆☆☆☆☆

🍸○ 🍷○ 🥂○ 🍸○ 🥤○

🕐 Tiempo de preparación _____

🍓 Ingredientes 🍓

· ·
· ·
· ·
· ·
· ·
· ·
· ·
· ·
· ·

🥄 Preparación 🥄

· ·
· ·
· ·
· ·
· ·
· ·
· ·
· ·
· ·

🍹 Consejos del chef 🍹

· ·
· ·
· ·
· ·

Nombre del cóctel: _____

Dificultad ☆☆☆☆☆   **Nota** ☆☆☆☆☆

🍸 ○ 🍷 ○ 🥂 ○ 🍸 ○ 🥤 ○   🕐 Tiempo de preparación _____

🍓 Ingredientes 🍓

....
....
....
....
....
....
....
....

🥤 Preparación 🥤

....
....
....
....
....
....
....
....
....
....

🍹 Consejos del chef 🍹

....
....
....
....

Nombre del cóctel: _____

Dificultad ☆☆☆☆☆   Nota ☆☆☆☆☆

🍸 ○ 🍷 ○ 🥂 ○ 🍸 ○ 🥤 ○   🕐 Tiempo de preparación _____

🍓 Ingredientes 🍓

. . . .

. . . .

. . . .

. . . .

. . . .

. . . .

. . . .

. . . .

. . . .

🥢 Preparación 🥢

. . . .

. . . .

. . . .

. . . .

. . . .

. . . .

. . . .

🍹 Consejos del chef 🍹

. . . .

. . . .

. . . .

. . . .

Nombre del cóctel: _____

Dificultad ☆☆☆☆☆   Nota ☆☆☆☆☆

🍸○ 🍷○ 🥂○ 🍸○ 🥤○   🕐 Tiempo de preparación _____

🍓 Ingredientes 🍓

....
....
....
....
....
....
....
....
....
....

🍶 Preparación 🍶

....
....
....
....
....
....
....
....
....
....
....
....

🍹 Consejos del chef 🍹

....
....
....
....

Nombre del cóctel: _____

Dificultad ☆☆☆☆☆   Nota ☆☆☆☆☆

🍸 ○ 🍷 ○ 🥂 ○ 🍸 ○ 🥤 ○   🕐 Tiempo de preparación _____

🍓 Ingredientes 🍓

· ·

· ·

· ·

· ·

· ·

· ·

· ·

· ·

🍴 Preparación 🍴

· ·

· ·

· ·

· ·

· ·

· ·

· ·

· ·

🍹 Consejos del chef 🍹

· ·

· ·

· ·

· ·

Nombre del cóctel: _____

Dificultad ☆☆☆☆☆   **Nota** ☆☆☆☆☆

🍸 ○ 🍷 ○ 🥂 ○ 🍸 ○ 🍹 ○   🕐 Tiempo de preparación _____

🍓 Ingredientes 🍓

....
....
....
....
....
....
....
....
....

🍴 Preparación 🍴

....
....
....
....
....
....
....
....
....

🍹 Consejos del chef 🍹

....
....
....
....

Nombre del cóctel: _____

Dificultad ☆☆☆☆☆   Nota ☆☆☆☆☆

🍸○ 🍷○ 🥂○ 🍸○ 🍹○   🕐 Tiempo de preparación _____

🍓 Ingredientes 🍓

. . . .

. . . .

. . . .

. . . .

. . . .

. . . .

. . . .

. . . .

. . . .

🥄 Preparación 🥄

. . . .

. . . .

. . . .

. . . .

. . . .

. . . .

. . . .

. . . .

. . . .

🍹 Consejos del chef 🍹

. . . .

. . . .

. . . .

. . . .

Nombre del cóctel: _____

Dificultad ☆☆☆☆☆   **Nota** ☆☆☆☆☆

🍸 ○ 🍷 ○ 🥂 ○ 🍸 ○ 🥤 ○

🕐 Tiempo de preparación _____

🍓 Ingredientes 🍓

....
....
....
....
....
....
....
....

🥄 Preparación 🥄

....
....
....
....
....
....
....
....
....
....
....
....

🍹 Consejos del chef 🍹

....
....
....
....

Nombre del cóctel: _____

Dificultad ☆☆☆☆☆   Nota ☆☆☆☆☆

🍸○ 🍷○ 🥂○ 🍸○ 🧃○   🕐 Tiempo de preparación _____

🍓 Ingredientes 🍓

· ·
· ·
· ·
· ·
· ·
· ·
· ·
· ·
· ·

🍶 Preparación 🍶

· ·
· ·
· ·
· ·
· ·
· ·
· ·
· ·
· ·

🍹 Consejos del chef 🍹

· ·
· ·
· ·
· ·

Nombre del cóctel: _____

Dificultad ☆☆☆☆☆   **Nota** ☆☆☆☆☆

🍸 ○ 🍷 ○ 🥂 ○ 🍸 ○ 🥤 ○

🕐 Tiempo de preparación _____

🍓 Ingredientes 🍓

....
....
....
....
....
....
....
....
....

🥄 Preparación 🥄

....
....
....
....
....
....
....
....
....

🍹 Consejos del chef 🍹

....
....
....
....

Nombre del cóctel: _____

Dificultad ☆☆☆☆☆   Nota ☆☆☆☆☆

🍸 🍷 🥂 🍸 🍹

🕐 Tiempo de preparación _____

🍓 Ingredientes 🍓

· ·

· ·

· ·

· ·

· ·

· ·

· ·

· ·

· ·

🥄 Preparación 🥄

· ·

· ·

· ·

· ·

· ·

· ·

· ·

· ·

· ·

🍹 Consejos del chef 🍹

· ·

· ·

· ·

· ·

Nombre del cóctel:

Dificultad ☆☆☆☆☆   **Nota** ☆☆☆☆☆

🍸 🍷 🥂 🍸 🥤   🕐 Tiempo de preparación _____

🍓 Ingredientes 🍓

....
....
....
....
....
....
....
....

🥄 Preparación 🥄

....
....
....
....
....
....
....
....
....
....

🍹 Consejos del chef 🍹

....
....
....
....

Nombre del cóctel: _____

Dificultad ☆☆☆☆☆   Nota ☆☆☆☆☆

🍸 ○   🍷 ○   🥂 ○   🍸 ○   🍹 ○

🕐 Tiempo de preparación _____

🍓 Ingredientes 🍓

. . . .

. . . .

. . . .

. . . .

. . . .

. . . .

. . . .

. . . .

. . . .

🍶 Preparación 🍶

. . . .

. . . .

. . . .

. . . .

. . . .

. . . .

. . . .

. . . .

. . . .

. . . .

. . . .

🍹 Consejos del chef 🍹

. . . .

. . . .

. . . .

. . . .

Nombre del cóctel: _____

Dificultad ☆☆☆☆☆   **Nota** ☆☆☆☆☆

🍸 ○ 🍷 ○ 🥂 ○ 🍸 ○ 🍹 ○   🕐 Tiempo de preparación _____

🍓 Ingredientes 🍓

. . . .
. . . .
. . . .
. . . .
. . . .
. . . .
. . . .
. . . .

🍴 Preparación 🍴

. . . .
. . . .
. . . .
. . . .
. . . .
. . . .
. . . .
. . . .
. . . .
. . . .

🍹 Consejos del chef 🍹

. . . .
. . . .
. . . .
. . . .

Nombre del cóctel: _____

Dificultad ☆☆☆☆☆ Nota ☆☆☆☆☆

🍸 ○ 🍷 ○ 🥂 ○ 🍸 ○ 🧃 ○

🕐 Tiempo de preparación _____

🍓 Ingredientes 🍓

....
....
....
....
....
....
....
....
....
....

🍶 Preparación 🍶

....
....
....
....
....
....
....
....
....
....

🍹 Consejos del chef 🍹

....
....
....
....

Nombre del cóctel: _____

Dificultad ☆☆☆☆☆   **Nota** ☆☆☆☆☆

🍸 ○ 🍷 ○ 🥂 ○ 🍸 ○ 🧉 ○

🕐 Tiempo de preparación _____

🍓 Ingredientes 🍓

....
....
....
....
....
....
....
....
....

🍸 Preparación 🍸

....
....
....
....
....
....
....
....
....
....

🍹 Consejos del chef 🍹

....
....
....
....

Nombre del cóctel: _____

Dificultad ☆☆☆☆☆   **Nota** ☆☆☆☆☆

🍸 ◯ 🍷 ◯ 🥂 ◯ 🍸 ◯ 🥤 ◯

🕐 Tiempo de preparación _____

🍓 Ingredientes 🍓

· ·

· ·

· ·

· ·

· ·

· ·

· ·

· ·

· ·

🍸 Preparación 🍸

· ·

· ·

· ·

· ·

· ·

· ·

· ·

· ·

· ·

🍹 Consejos del chef 🍹

· ·

· ·

· ·

· ·

Nombre del cóctel: _____

Dificultad ☆☆☆☆☆   **Nota** ☆☆☆☆☆

🍷 ○ 🍷 ○ 🥂 ○ 🍸 ○ 🥤 ○   🕐 Tiempo de preparación _____

🍓 Ingredientes 🍓

....
....
....
....
....
....
....
....
....

🍴 Preparación 🍴

....
....
....
....
....
....
....
....
....
....

🍹 Consejos del chef 🍹

....
....
....
....

Nombre del cóctel: _____

Dificultad ☆☆☆☆☆   **Nota** ☆☆☆☆☆

🍸 ○ 🍷 ○ 🥂 ○ 🍸 ○ 🥤 ○   🕐 Tiempo de preparación _____

🍓 Ingredientes 🍓

. . . .
. . . .
. . . .
. . . .
. . . .
. . . .
. . . .
. . . .

🥤 Preparación 🥤

. . . .
. . . .
. . . .
. . . .
. . . .
. . . .
. . . .
. . . .

🍹 Consejos del chef 🍹

. . . .
. . . .
. . . .
. . . .

Nombre del cóctel: _____

Dificultad ☆☆☆☆☆   Nota ☆☆☆☆☆

🍸 ○ 🍷 ○ 🥂 ○ 🍸 ○ 🧃 ○

🕐 Tiempo de preparación _____

🍓 Ingredientes 🍓

....
....
....
....
....
....
....
....
....

🍸 Preparación 🍸

....
....
....
....
....
....
....
....
....

🍹 Consejos del chef 🍹

....
....
....
....

Nombre del cóctel: _____

Dificultad ☆☆☆☆☆   Nota ☆☆☆☆☆

🍸○ 🍷○ 🥂○ 🍸○ 🥤○   🕐 Tiempo de preparación _____

🍓 Ingredientes 🍓

· ·

· ·

· ·

· ·

· ·

· ·

· ·

· ·

· ·

🍸 Preparación 🍸

· ·

· ·

· ·

· ·

· ·

· ·

· ·

· ·

· ·

· ·

🍹 Consejos del chef 🍹

· ·

· ·

· ·

· ·

Nombre del cóctel:

Dificultad ☆☆☆☆☆   **Nota** ☆☆☆☆☆

🕐 Tiempo de preparación _____

Ingredientes

....
....
....
....
....
....
....
....
....

Preparación

....
....
....
....
....
....
....
....
....

Consejos del chef

....
....
....
....

Nombre del cóctel: _____

Dificultad ☆☆☆☆☆   Nota ☆☆☆☆☆

🍷○ 🍷○ 🥂○ 🍸○ 🧃○   🕐 Tiempo de
preparación _____

🍓 Ingredientes 🍓

· ·

· ·

· ·

· ·

· ·

· ·

· ·

· ·

· ·

🥄 Preparación 🥄

· ·

· ·

· ·

· ·

· ·

· ·

· ·

· ·

· ·

🍹 Consejos del chef 🍹

· ·

· ·

· ·

· ·

Nombre del cóctel: _____

Dificultad ☆☆☆☆☆   Nota ☆☆☆☆☆

🍸 ○ 🍷 ○ 🥂 ○ 🍸 ○ 🥤 ○   🕐 Tiempo de
                                           preparación _____

🍓 Ingredientes 🍓

· ·
· ·
· ·
· ·
· ·
· ·
· ·
· ·
· ·

🍸 Preparación 🍸

· ·
· ·
· ·
· ·
· ·
· ·
· ·
· ·
· ·

🍹 Consejos del chef 🍹

· ·
· ·
· ·
· ·

Nombre del cóctel: _____

Dificultad ☆☆☆☆☆　　　Nota ☆☆☆☆☆

🍸○ 🍷○ 🥂○ 🍸○ 🧃○　　🕐 Tiempo de preparación _____

🍓 Ingredientes 🍓

· ·

· ·

· ·

· ·

· ·

· ·

· ·

· ·

· ·

🍸 Preparación 🍸

· ·

· ·

· ·

· ·

· ·

· ·

· ·

· ·

· ·

🍹 Consejos del chef 🍹

· ·

· ·

· ·

· ·

Nombre del cóctel: _____

Dificultad ☆☆☆☆☆   Nota ☆☆☆☆☆

🍷 ○ 🍷 ○ 🥂 ○ 🍸 ○ 🥤 ○   🕐 Tiempo de preparación _____

🍓 Ingredientes 🍓

. . . .

. . . .

. . . .

. . . .

. . . .

. . . .

. . . .

. . . .

🔪 Preparación 🔪

. . . .

. . . .

. . . .

. . . .

. . . .

. . . .

. . . .

. . . .

. . . .

🍹 Consejos del chef 🍹

. . . .

. . . .

. . . .

. . . .

Nombre del cóctel: _____

Dificultad ☆☆☆☆☆　　　**Nota** ☆☆☆☆☆

🍸 ○　🍷 ○　🥂 ○　🍸 ○　🧉 ○　　🕐 Tiempo de preparación _____

🍓 Ingredientes 🍓

. . . .
. . . .
. . . .
. . . .
. . . .
. . . .
. . . .
. . . .
. . . .

🔪 Preparación 🔪

. . . .
. . . .
. . . .
. . . .
. . . .
. . . .
. . . .
. . . .
. . . .

🍹 Consejos del chef 🍹

. . . .
. . . .
. . . .
. . . .

Nombre del cóctel: _____

Dificultad ☆☆☆☆☆   Nota ☆☆☆☆☆

🍸 ○ 🍷 ○ 🥂 ○ 🍸 ○ 🍹 ○   🕐 Tiempo de preparación _____

🍓 Ingredientes 🍓

....
....
....
....
....
....
....
....
....

🥤 Preparación 🥤

....
....
....
....
....
....
....
....
....

🍹 Consejos del chef 🍹

....
....
....
....

Nombre del cóctel: _____

Dificultad ☆☆☆☆☆   Nota ☆☆☆☆☆

🍸 🍷 🥂 🍸 🥤   🕐 Tiempo de preparación _____

🍓 Ingredientes 🍓

. . . .
. . . .
. . . .
. . . .
. . . .
. . . .
. . . .
. . . .
. . . .

🍶 Preparación 🍶

. . . .
. . . .
. . . .
. . . .
. . . .
. . . .
. . . .
. . . .
. . . .

🍹 Consejos del chef 🍹

. . . .
. . . .
. . . .
. . . .

Made in United States
Orlando, FL
18 June 2022